Sophie Lebot

Une si jolie dent de lait !

D1418302

Éditions Lito

Très curieuse, un peu chipie, Lulu est une souris voleuse :
trombones, bouts d'ficelle, dentelles ou vieux cartons…
Tout est bon. Et si ça brille, c'est le paradis !

Elle est très fière de ses trésors.
Pourtant, il lui manque encore une chose.
Une toute petite chose, mais si jolie,
cachée sous un oreiller.
Ce soir, quoi qu'il arrive, Lulu a décidé de la voler.

Son ami Basile dit que c'est du délire,
qu'elle a perdu la boule.
Mais, Lulu s'en fiche.
Pfuiiit ! Elle est déjà partie !
Basile la suit. Quelle folie !

Ce qui l'inquiète, ce ne sont pas
les tapettes ni les monstres à roulettes.
Non, ce qui le rend très nerveux,
c'est le gros Mimile, le chat, qui dort
au milieu des peluches…

Au passage des souris, Mimile se lèche les babines,
sort ses griffes… et s'il ne dormait pas ?
Il s'étire, se met en boule et rentre sa tête.
Ouf ! Ce n'était qu'un rêve !
– Courage Basile ! Imagine que c'est un doudou.
– Mimile, un doudou ? Tu es complètement folle,
ma pauvre Lulu !

Lulu n'écoute déjà plus !
Elle trotte, saute d'un doudou à l'autre,
et évite de justesse le gros Mimile.
La voilà arrivée.

Tout excitée, elle plonge sous l'oreiller.

– Bon, elle est où cette jolie petite merveille ?

Lulu fouille avec précaution.

– Ah, je l'ai ! Basiiile ! Viens voir ! C'est trop chou !

– Chuuut ! Tu vas réveiller Mimile… T'es où ?

– Ici !

– Waaahou !

– Ah, tu vois Basile que ça valait le coup !

Bon, maintenant on rentre.

Alors que Lulu range la dent dans son sac,
Basile proteste :
– Mais… Lulu ! Tu n'as pas le droit ! Ce n'est pas à toi !
Peine perdue, Lulu a déjà pris la poudre
d'escampette.

Avant de partir, Basile voudrait excuser
les mauvaises manières de son amie,
et laisser quelque chose sous l'oreiller.
Pas son vieux morceau de fromage,
mais peut-être la petite perle qui brille là-bas…
Comme il court pour la rapporter sous l'oreiller,
il trébuche et la perle, flûte ! roule sous le lit.

Une chance, sous son nez, quelque chose scintille.
– Nom d'un petit fromage ! Une pièce !
Ni une ni deux, Basile la saisit, monte sur le lit, trotte
vers l'oreiller, vite, vite, car Mimile s'est réveillé et s'approche.
Basile dépose la pièce et s'enfuit à toutes pattes.
Ouf ! Il était temps ! Le chat a bien failli
le croquer tout cru.

Basile a eu la peur de sa vie.
Mais Lulu, elle, s'est endormie,
serrant fort son trésor,
sa si jolie petite dent de lait.
Quelle coquine cette Lulu !

Le lendemain, Lulu est réveillée par une petite voix
qui s'écrit joyeusement :
« Papa, maman, la p'tite souris est passée ! »